**Moi,
Thérèse Mi**

C'est qui
la plus classe ?

écrit par Gérard Moncomble
illustré par Frédéric Pillot

**HATIER
POCHE**

1
Bête à concours

Voilà une heure que maman
et Suzanne sont parties à la
supérette. Elles ont oublié que
je suis en panne de croquettes,
les deux limaces? J'ai faim, moi!
Du coup, je couine, je tourne en
rond. Papa n'apprécie pas.

Ah, les voilà!

– Tu ne devineras jamais ce qu'on a trouvé à la supérette? glapit Suzanne.

Des croquettes en promo? Formidable. Mais qu'elle l'ouvre, sa boîte, matouronchon! Au lieu de ça, elle brandit une affiche et roucoule :

– Ça serait cool que tu participes à un concours de beauté!

Mais de quoi elle parle, là?

Les papa-maman s'en mêlent.
Excités comme des puces !
D'après eux, je vais le gagner les
doigts dans le nez, ce concours !
– En plus, ajoute papa, il y a un
super stock de croquettes
à gagner.
Ça va pas, la famille ? Ils veulent
me ridiculiser ou quoi ?

– Tu seras une star!
claironne papa.

– Pense aux
croquettes!
glousse maman.

– Pour me faire
plaisir, murmure
Suzanne.

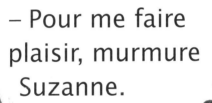

D'accord, je
vais le faire,
leur concours de
dingues, mais par
pitié, DONNEZ-MOI À MANGER!

Victoire! On remplit enfin ma gamelle. J'y plonge *illico* le museau. Beuark! C'est quoi, ces bouts tout mous? On dirait du caoutchouc!

– Croquettes diététiques!
explique Suzanne. Moins
de graisse! Moins de sel! Plein
de vitamines! Avec ça, tu auras
encore meilleure mine!
Moi, au régime? Au secours,
j'habite chez des fous!

2
Gym et régime

Me voilà bête à concours. Nul!
En plus du régime, jogging
obligatoire, avec papa comme
entraîneur. Le tour du quartier
à fond la caisse au bout d'une
laisse.

Maman m'initie au yoga. Respiration, concentration, relaxation. Hé, attention! j'ai les pattes trop courtes, moi, matouchacra!

Avec Suzanne, séance de gym.
– Tu dois être en forme, dit-elle.
D'accord, mais en
forme de quoi?
Balle de ping-pong?

Roue de bicyclette?

Résultat : carpette niveau zéro.

Heureusement, les trois matous m'encouragent. Selon eux, je suis la meilleure. La classe à l'état pur. Sympas, les gars.

Dernier round : *Matounet*. J'y croise Néfertiti, ma pire ennemie. Elle fait tous les concours, cette pimbêche. Sa maîtresse ricane :
– Néfertiti aura le prix. C'est du tout cuit, hein, ma jolie?

Ah oui? C'est ce qu'on va voir, matoupristi! Allons-y, miss Alice! Bain, shampoing, parfum! Qu'on me brosse, qu'on me lustre! Je veux être une reine de beauté!

3
Podium et tapis rouge

C'est le jour J. On est tous
gonflés à bloc. Attention les
yeux! Thérèse Miaou débarque!
Pomponnée, enrubannée,
parfumée!
On-va-ga-gner!
On-va-ga-gner!

Mais au bureau d'inscription, ça se gâte. Je ne rentre dans aucune catégorie. Ni Siamois, ni Persan, ni Angora, ni rien.
– Nous n'acceptons que les chats de race. Cet animal est une chatte commune.
Quoi? Commune, moi?

Papa est furax.
Il brandit mon
carnet de santé
en hurlant :

– Elle est vaccinée! Elle mange
des croquettes diététiques! Elle
fait le tour du quartier en moins
d'une minute!

– Qu'est-ce qu'il vous faut de
plus, nom d'une quiche?

On appelle le commissaire du concours. Il accepte de créer une catégorie «Chat de gouttière». Trop aimable.
– Et elle gagnera, puisqu'elle sera la seule, dit-il avec mépris.

Concourir sans adversaire?
Pas question! Je file chercher
mes potes. Voilà d'excellents
concurrents.

C'est à nous! Avec les trois
matous, on fait un défilé d'enfer!
Thérèse Miaou et ses boys,
ça décoiffe! La foule afflue!
Triomphe de folie!

Le jury se réunit. Le Grand Prix,
c'est pour qui? Pour bibi! Je suis
la star des chats de gouttière,
youpi! Aux places d'honneur,
les trois terreurs!
Suzanne et les papa-maman
sont aux anges. Mais les
trucs diététiques et la culture
physique, c'est fi-ni, f-i-n-i!
Compris?

As-tu une mémoire d'éléphant?

1. Quel objet casse ce balourd de papa avec son chausson?

a.   **b.**   **c.**   **d.**   **e.**

2. Quelle figure de yoga maman essaie-t-elle de m'apprendre?

a.   **b.**   **c.**   **d.**   **e.**

3. *Comment suis-je enrubannée pour le jour J?*

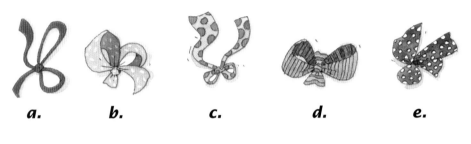

a. **b.** **c.** **d.** **e.**

4. *Qui d'autre se présente au concours contre moi?*

a. **b.** **c.** **d.** **e.**

Salut! Moi, c'est **Thérèse**. La Thérèse en vrai,
avec des poils et des moustaches.
Je vis avec Gérard Moncomble et sa famille
dans une grande maison à la campagne.
J'ai des croquettes, un coussin
et je dors toute la journée.
Le bonheur, ça s'appelle.

Ça, c'est **Frédéric**, **Gérard** et moi.
Le grand blond me dessine avec ses crayons
et ses pinceaux. Le barbu raconte
mes histoires. En plus, ils me caressent
tout le temps.

Hé, ho! Moi aussi,
je peux faire ma star, hein!
Pour qui elle se prend,
celle-là?

HATIER
POCHE

POUR DÉCOUVRIR :

> **des fiches pédagogiques** élaborées par les
enseignants qui ont testé les livres dans leur classe,
> **des jeux** pour les malins et les curieux,
> **les vidéos** des auteurs qui racontent leur histoire,

rendez-vous sur

www.hatierpoche.com

Responsable de la collection :
Anne-Sophie Dreyfus
Direction artistique, création graphique
et réalisation : DOUBLE, Paris
© Hatier, 2013, Paris
ISBN : 978-2-218-97028-3
ISSN : 2100-2843

PAPIER À BASE DE
FIBRES CERTIFIÉES

Hatier s'engage pour
l'environnement en réduisant
l'empreinte carbone de ses livres.
Celle de cet exemplaire est de :
150 g éq. CO$_2$
Rendez-vous sur
www.hatier-durable.fr

IMPRIM'VERT

Achevé d'imprimer en France par Clerc
Dépôt légal : n°97028-3/02 - août 2013